El espejo
diabólico

DIRECCIÓN EDITORIAL: Patricia López
COORDINACIÓN DE LA COLECCIÓN: Karen Coeman
CUIDADO DE LA EDICIÓN: Pilar Armida y Obsidiana Granados
DISEÑO DE PORTADA: Renato Aranda
FORMACIÓN: Zapfiro Design
ILUSTRACIÓN DE PORTADA: Mauricio Gómez Morín

El espejo diabólico

Texto D.R. © 2008, Jordi Sierra i Fabra

PRIMERA EDICIÓN: junio de 2009
PRIMERA REIMPRESIÓN: junio de 2011
D.R. © 2009, Ediciones Castillo, S.A. de C.V.
Insurgentes Sur 1886, Col. Florida,
Delegación Álvaro Obregón,
C.P. 01030, México, D.F.

Ediciones Castillo forma parte
del Grupo Macmillan

www.grupomacmillan.com
www.edicionescastillo.com
infocastillo@grupomacmillan.com
Lada sin costo: 01 800 536 1777

Miembro de la Cámara Nacional
de la Industria Editorial Mexicana.
Registro núm. 3304

ISBN: 978-607-463-047-3

Impreso en México/*Printed in Mexico*

El espejo diabólico

Jordi Sierra i Fabra

Castillo del Terror

Cuando se introdujo en el ático, tuvo un fuerte estremecimiento.

Era como en la mejor de las películas, como en el mejor de los cómics de terror, como en la mejor de sus fantasías. Un auténtico ático igual a los que siempre había visto o imaginado.

Espectral, sin mucha luz, atiborrado de muebles viejos, cajas y cajones, armarios, polvo y recuerdos de otros tiempos. Como si la historia, allí dentro, se hubiera detenido.

No cerró la puerta. Ésa fue una precaución de la que no se sintió orgulloso, pero… mejor dejarla abierta de par en par. Tal vez hubiera ratas. Si eran pequeñas, todavía, pero si eran de las grandes… o arañas. No le gustaban las arañas. Nada que tuviera ocho ojos podía albergar buenas intenciones.

Había polvo. Mucho polvo. Por allí no debía de haber entrado nadie desde hacía años. Ya les habían advertido que la casa era vieja y llevaba deshabitada una eternidad. Su mamá quería limpiar todo aquello. Una pena. Claro que, con tanto trabajo por hacer —instalarse y todo lo demás—, no había prisa, ¿verdad?

Tendría el ático y sus secretos para él solo al menos unos días, o semanas. Después, tampoco estaría mal. Sería su rincón secreto y privado, a no ser que su papá quisiera instalar un estudio o cualquier cosa de ésas.

Su corazón empezó a latir con fuerza.

Abrió los cajones de una alacena. Nada. Vacíos. Abrió las puertas de un armario. Lo mismo. Se acercó a una cómoda. Casi emitió un grito de alegría al encontrar unas libretas dentro del primer cajón. Eran simples libretas escolares, muy antiguas, pero su emoción murió al ojearlas porque no había ningún diario secreto ni nada que se le pareciera. No eran más que simples libretas con tareas, casi como las suyas.

Un asco.

Se internó en la parte de atrás, la más oscura y sombría, para continuar su examen. Miraba bien dónde ponía los pies, y se aseguraba de no empujar algo que pudiera romperse. Nada de lo que había allí valía algo, pero de seguro su mamá lo regañaría si rompía alguna cosa. Ella era así.

Un perchero, dos mecedoras, una taza de baño deteriorada, cajas con objetos comunes, como platos o libros, baúles…

Abrió los baúles, uno por uno. Por lo menos allí sí había algunas cosas interesantes. Ropa de mucho tiempo atrás, sombreros, un álbum de fotografías que, en otro tiempo, debió de ser la alegría familiar, postales, algunas cajitas vacías, álbumes con muy pocos timbres postales, programas de ópera, revistas…

—¡Luis!

¿No podían dejarlo un solo minuto en paz?

No contestó.

Su mamá no se dio por vencida.

—¡Luis!

Esta vez, el tono fue más autoritario. Aunque venía de abajo, era muy audible. No podía fingir que no la oía. Su mamá se hacía oír desde el otro lado del mundo.

—¡Ya voy!

—¡Hay mucho que hacer, Luis! ¿Puedes venir a ayudarnos?

—¡Voy!

No se movió. Continuó registrando los baúles.

Apenas unos segundos.

Hasta que alcanzó a distinguir el destello con el rabillo del ojo.

Levantó la cabeza y entonces lo vio mejor, medio oculto por algo parecido a una cortina sobre él. El reflejo provenía de la parte de abajo, por la que asomaba un pedazo de cristal.

Se levantó, apartó el cortinaje, grueso, pesado y polvoriento, y se vio reflejado en él.

Un espejo.

Un espejo extraño, de brillo opaco, plomizo, tan alto como él mismo, y con un marco labrado en exceso y de forma barroca. Un marco en el que se apreciaban diversas caras esculpidas en la madera. Caras con ojos que lo miraban fijamente.

Caras un tanto tenebrosas.

Pero lo más singular seguía siendo el cristal.

No parecía que fuera sólido, parecía como si fuera de…

Extendió su mano.

Al querer tocarlo… ¡sus dedos se hundieron en la superficie!

Apartó la mano. No, no era posible. Habría sido un efecto de la escasa luz y de sus nervios y de…

Pero habría podido jurar que el cristal tenía consistencia líquida.

Repitió su acción, más despacio, lentamente. Sus dedos se detuvieron a un escaso milímetro de la superficie en la que se reflejaba. Temblaron. Luego rozó el espejo.

Y lenta, muy lentamente, su mano se volvió a hundir en él.

Su corazón comenzó a latir deprisa. No se trataba de un efecto de la luz ni del producto de sus fantasías ni de un sueño. Era verdad. El cristal parecía líquido. Era líquido. O algo semejante a ello. Su mano penetraba más y más en él.

Y al otro lado, sintió frío.

Fuera lo que fuera aquello, sin duda se trataba de… una puerta.

Lo sabía.

Terminó de meter la mano, y continuó introduciendo el brazo…

—¡Luis, si me obligas a ir por ti, te juro que no sales en una semana! ¿Quieres hacer el favor de venir inmediatamente?, y cuando lo digo, quiero decir ¡INMEDIATAMENTE!

Estaba atrapado. No le quedaba más que obedecer. Ella estaba nerviosa por la mudanza y no quería que se desquitara con él.

Abatido, exhaló el aire que habían retenido sus pulmones.

—Ya voy, ya voy —se dijo a sí mismo, en voz baja, antes de gritar—: ¡YA VOY!

Retiró su mano del espejo y la observó. Nada. Luego contempló su reflejo en la plomiza superficie. Tenía muchas ganas de saber qué pasaba, de averiguar qué había al otro lado. Pero tendría que esperar. Por supuesto, no podía contarle nada a su mamá o a su papá o a su hermana Norma. Nada de nada. Era su secreto.

Ellos no lo entenderían.

Salió del ático a la carrera y bajó la escalera saltando los peldaños de tres en tres antes de que su mamá apareciera en el primer descanso y le gritara con molestia:

—¿Quieres destrozar la casa antes de que nos instalemos en ella? ¿No ves que es antigua, de madera, y retumba? ¿Pero estás tonto o qué?

2

Toda la familia estaba cenando. Aunque el nerviosismo de la mudanza no había disminuido, por lo menos ahora, después de un duro día de trabajo, todo parecía en su sitio. Su papá, su mamá y su hermana parecían enojados con el mundo entero.

Luis los miró.

Su familia.

A veces deseaba…

Su papá nunca estaba con ellos, siempre trabajaba. Decía que tenía que hacerlo, pero no era verdad. Si trabajaba era porque le gustaba, porque era un esclavo de ese trabajo, y porque en casa se aburría. Lo suyo era la oficina, y dar órdenes a todo el mundo. Si se habían cambiado de casa era precisamente porque a su papá lo habían hecho jefe de toda una delegación. Un asco.

Nueva casa, nueva ciudad, nuevos amigos.

Nadie le había preguntado si estaba de acuerdo. Y eso no era justo.

Su mamá siempre andaba de malas. Era doña Perfecta. Lo quería todo en su sitio y en orden, listo y bien dispuesto. Y cuando no estaba limpiando o refunfuñando por algo, iba a sentarse delante de la televisión a llorar con las telenovelas lacrimógenas. Le gustaban, y le entusiasmaba llorar. Decía que, en el fondo, era una romántica.

Norma, su hermana, era una engreída. Tenía la típica locura estúpida de las adolescentes. Vestía de colores, como si fuera un arco iris andante, y se la pasaba al pendiente de su pelo, su piel, sus pechos, sus caderas y todo lo que tuviera que ver con su cuerpo. Se las daba de chica-bonita-y-maravillosa, coqueta, que siempre se hacía notar cuando había chicos cerca, riendo en voz alta y abanicando el aire con sus pestañas. Apenas tenía 15 años y ya parecía una vieja de 30. Más que una hermana mayor, era un castigo.

De pronto, deseó algo con todas sus fuerzas. Era un deseo inquietante y cruel, aunque imposible, por supuesto.

Deseó que a su papá lo despidieran para que así se quedara en casa y jugara al baloncesto, al ajedrez y al beisbol con él, y que su mamá se quedara muda o se volviera descuidada o simplemente no lo atosigara tanto como lo hacía, y que Norma se volviera fea, horrible y…

—Luis, come.

—Sí, mamá.

—¿Qué te pasa? Hoy estás muy distraído.

—Es que está emocionado por el cambio —su papá lo defendió.

—Ya. Veremos cuánto tiempo tardan los vecinos en quejarse de alguna travesura —lo molestó su hermana.

—Antes se van a quejar de ti, cuando te vean pasar vestida así. De seguro asustas a sus gatos y a sus perros.

—¡Luis! —le reclamó ella.

—¡Ya basta!, ¿de acuerdo? Se pasan todo el día peleando —los reprendió su papá—. No parecen hermanos.

—Estoy segura de que uno de los dos es adoptado —insistió la hermana—, y no hace falta decir quién, ni preguntarse su origen.

Luis no quiso contestarle. ¿Para qué?

Quería volver al ático, y examinar el espejo, ver qué había detrás, averiguar por qué la superficie era líquida, o lo parecía. Ahora era lo más importante de su vida. Lo único que valía la pena.

Tantas cosas podían cambiar si…

¿Si qué?

No lo sabía. Pero tenía que ser así.

Aquel espejo tenía que ser la puerta hacia algo maravilloso.

Sus papás y su hermana seguían hablando y hablando. Tal vez pudiera volver al ático antes de acostarse. Se levantó. O más bien lo intentó.

Entonces sucedieron tres cosas.

—¿Adónde vas? —su mamá lo detuvo.

Sonó el timbre de la puerta.

Y al girarse golpeó, sin querer, la jarra del agua, a la que su mamá tenía mucho aprecio.

—¡Luis!

La detuvo en el aire, antes de que llegara al suelo, pero no evitó que el agua se derramara.

—¡Ay! ¡Mira lo que hiciste!

—De veras que… —refunfuñó su hermana.

El timbre volvió a sonar.

—Luis, ve a abrir la puerta —ordenó su papá.

Lo hizo, agradeciendo la oportunidad de escapar de allí.

Y al abrir la puerta, se encontró con una niña como de su edad, rubia, de ojos grises, tan atractiva como dulce.

—Hola —lo saludó con voz agradable—. Me llamo Elisa y vivo enfrente. Tú eres mi nuevo vecino, ¿verdad?

3

Luis estaba encantado. Llevaba hablando cinco minutos con Elisa, y ya se había olvidado del espejo y de sus prisas por volver al ático. Un horizonte de nuevas perspectivas se abría ante sus ojos. En su casa anterior no había nadie como ella.

Claro que si hubiera existido alguien así, sus amigos no lo habrían dejado en paz con ella. Eran de lo más antichicas que uno se pudiera imaginar. Allí, en cambio, nadie lo conocía aún.

Elisa era su primera amiga, además de su vecina.

Luis se la presentó a su familia, y les encantó. Les pareció maravillosa.

—Me alegro de que por fin haya alguien de mi edad cerca —le dijo Elisa cuando salieron a la puerta—. Esta calle y la colonia están llenas de personas mayores. Por eso las casas son tan viejas.

—Y baratas —repuso él.

—Me gustan las casas viejas —suspiró Elisa—. Están llenas de la esencia de todas las personas que han vivido en ellas. Tienen su historia.

Ahora sí, Luis recordó el espejo.

—¿Sabes quiénes vivían aquí? —señaló su nueva casa.

—No los recuerdo, porque yo tenía apenas uno o dos años cuando sucedió todo.

—¿Qué sucedió?

—¡Cómo! —Elisa abrió aún más sus enormes ojos grises—. ¡No me digas que les vendieron la casa sin contarles sobre los Heredia!

—Tal vez les hablaron a mis papás sobre ellos, porque sé que la casa costó poco dinero, pero no sé nada más —su interés se avivó—. ¿Quiénes eran los Heredia, unos asesinos o algo así?

—Peor —dijo Elisa.

—¿Peor?

—Mucho peor —asintió ella con la cabeza—. Yo no los recuerdo, pero mi mamá a veces habla de ellos. Creo que fue…

—Vamos, continúa —la apremió Luis—. Me estás poniendo nervioso.

—Es complicado —reflexionó la chica—. No mataron a alguien y luego los detuvieron o algo así. Fue un conjunto de… —puso en orden sus pensamientos y continuó—: Eran anticuarios. Tenían una tienda en la ciudad. Al principio eran como todo el mundo. Parecían agradables, normales. Una pareja mayor, sin hijos. Pero, de pronto, se volvieron locos. Cambiaron. Vestían de una forma siniestra, y empezaron a ocurrir cosas.

—¿Qué clase de cosas?

—Perros y gatos desaparecidos o muertos.

—No me digas que ellos…

—Te cuento lo que pasó. Y no sólo fueron los perros y los gatos. Una noche, se incendió la casa de los Farías, justo después de que se pelearan con los Heredia por no sé qué. Poco después, la señora Moreno, la chismosa de la colonia, se quedó misteriosamente muda. Un día, el hijo de los Mateos entró a curiosear y salió llorando enloquecido. Lo llevaron al psiquiatra, pero nunca se recuperó. Se ponía mal sólo con ver la casa, por lo que se fueron muy lejos. Como ves, son sucesos en apariencia aislados, pero siempre tenían que ver con los Heredia de manera directa o indirecta. Fue una locura.

—¿No los denunciaron?

—Sí. Vino la policía, pero no pudo hacer nada. Y en cuanto se fue, empezaron las plagas de mosquitos, de murciélagos, de ratas…

Luis volteó a ver su nuevo hogar.

¿Y si le hablaba a Elisa del espejo? No, aún no.

—¿Qué fue de los Heredia? —quiso saber.

—Desaparecieron.

—¿Cómo que desaparecieron?

—Un día, los vecinos dejaron de verlos, y ya.

—La gente no desaparece así como así.

—Ellos sí. Nadie los volvió a ver.

—¿Quién se quedó con la casa?

—Un pariente lejano. Se llevó algunas cosas, pero no se quedó. Todo era demasiado espeluznante. Luego pusieron la casa en venta, y ya.

—¿No ha vuelto a pasar nada en la colonia?

—No.

—Menos mal —suspiró él.

—Luis, ya métete. Mañana tendrás tiempo de hacer amistades —le ordenó su mamá.

—Ya voy, mamá.

Se sintió ridículo de que lo llamaran, y a Elisa nadie la obligara a meterse. Pero se calló. No quería que le gritaran delante de su nueva amiga.

—¿Nos vemos mañana? —preguntó la chica.

—Sí, claro.

—¿Quieres que te enseñe la colonia?

—Por supuesto.

—Hasta mañana entonces —se despidió con una gran sonrisa.

Luis pensó una vez más en el espejo.

4

Cuando Luis abrió los ojos, el amanecer despuntaba con fuerza por detrás de los cristales de su nueva habitación.

Primero no recordó dónde estaba. Miró las paredes vacías con extrañeza. Después recordó todo de golpe, y se incorporó de un salto en la cama.

La noche anterior no lo habían dejado subir al ático, por lo que se metió en la cama para esperar a que sus papás se durmieran y así subir inmediatamente después, pero se había quedado dormido casi enseguida. ¡Parecía mentira! Con algo tan emocionante entre manos y…

Vio la hora. Faltaban 30 minutos para que todos se levantaran, y en cuanto lo hicieran, su mamá, "el sargento de hierro", empezaría a dar órdenes y se acabaría la paz. Si quería averiguar qué había al otro lado del espejo tenía que darse mucha prisa.

No quería perder un minuto. Se puso los pantalones, una camiseta, y salió de la habitación sin hacer ruido. Mientras subía los peldaños que conducían al ático, sintió que el corazón se le iba a salir y contuvo el aliento. La adrenalina se le disparó. Era el momento de la verdad.

Cada peldaño lo acercaba a la solución de un misterio apasionante.

Inquietante.

No se había dado cuenta de lo que iba a hacer, hasta ahora, cuando estaba a punto de dar el paso decisivo.

Entró en el ático. Todo estaba como la noche anterior, incluso el espejo. Vio su propio reflejo acercándose a la superficie opaca de brillo plomizo y deteniéndose muy cerca de su propia imagen. Creía que, en cuanto tocara el cristal, el sorprendente efecto de la noche anterior habría desaparecido.

Quizá sólo funcionara de noche.

Pero no fue así.

Puso un dedo en el espejo… y éste se hundió mansa y blandamente en su líquida frialdad.

Lo retiró. Si antes el corazón le latía con fuerza, como un caballo desbocado, ahora lo sentía tan estridente, que temió despertar a todos. Nada había cambiado. El extraño mundo que se ocultaba detrás del espejo seguía allí, y el cristal líquido, o lo que fuera aquello, era la puerta.

No se precipitó. Dio un paso hacia la derecha, y se asomó a la parte de atrás, rodeando el marco lleno de rostros que lo observaban, impasibles. El marco de madera tenía apenas cinco centímetros de grosor, así que, a lo mejor, ésa era la profundidad del espejo. Sin embargo, visto por detrás, su grosor no era mayor que el de cualquier espejo. Ni siquiera había una madera que lo protegiera, y por allí el cristal no reflejaba nada. No era más que un vidrio transparente. Se podía ver a través de él.

Lo tocó.

Era duro, compacto.

Increíble.

Volvió a la parte delantera. Ya le quedaba poco tiempo. Sus papás y su hermana se levantarían en pocos minutos. Si no daba el paso decisivo, a lo mejor a su mamá se le ocurriría deshacerse de las cosas del ático ese mismo día, con todo y espejo. Seguramente lo encontraría espantoso.

Introdujo el dedo índice de la mano derecha en el espejo.

Luego la mano entera.

Al otro lado, la frialdad era absoluta.

Firmemente decidido, retiró la mano e introdujo la cabeza.

Primero tuvo miedo de abrir los ojos. Pero cuando lo hizo, no vio nada. Todo estaba oscuro. Más que oscuro. Negro. Un negro profundo y espectral. El frío seguía siendo notorio.

Metió más la cabeza.

Y una mano.

Y la otra.

Esperó.

Nada. Silencio. Negrura.

Metió un pie, salvando el marco por abajo.

Casi tenía medio cuerpo del otro lado.

Estuvo a punto de retroceder. De pronto, el frío se volvió miedo. La sensación de negrura le llegó al corazón, a la mente, al alma. Era una sensación desconocida, angustiosa, como si una mano invisible lo envolviera. Pero no retrocedió.

Medio cuerpo dentro. Medio cuerpo fuera.

Se inclinó un poco más.

Y entonces, sucedió.

Cuando más de la mitad de su cuerpo estuvo dentro, una mano invisible lo atrapó, tiró de él, y la negrura lo absorbió.

¡Zap!

Luis cayó al otro lado del espejo.

5

Asustado, se levantó de un salto, como impulsado por un resorte que, sin embargo, reaccionaba demasiado tarde. La oscuridad era tan densa como antes, y el frío, más intenso. Pero esa frialdad era más una sensación que un efecto meteorológico. Era como si el vacío fuera un espectro mortal de ese lado del espejo.

Recordó la muerte de su abuela Gloria. Había sentido lo mismo al tocarla en su ataúd.

Ausencia de vida, de calor, de sentimientos.

No lo pensó dos veces. Giró el cuerpo y retrocedió. Cuanto antes regresara, mejor. Ya no sentía curiosidad de ver qué había allí.

Chocó con la parte trasera del cristal.

Era dura, sólida.

El miedo se apoderó de su cuerpo y de su mente. Empujó, cargó, golpeó el cristal con las dos manos, con los puños cerrados, y ante la inutilidad de sus esfuerzos, le lanzó una patada. Si era necesario, lo rompería.

Tenía que romperlo.

A la tercera patada, la más fuerte y violenta, se dio cuenta de la inutilidad de sus esfuerzos. Era como si golpeara una piedra.

Y descubrió algo aún más escalofriante.

Su imagen no repetía sus gestos.

Su imagen estaba quieta, sonriendo.

Mirándolo.

Súbitamente, recordó que antes, cuando miró la parte trasera del espejo, el cristal no reflejaba nada. Ahora, sin embargo, se veía a sí mismo… o a quien creía que era él mismo, porque si aquella imagen no repetía sus gestos…

Claro que tenía que ser su imagen, ¿no?

¿No?

Al otro lado estaba su cuerpo, en el ático, porque reconoció el lugar. Sin embargo, no repetía sus gestos. Eso era tenebrosamente extraño, como si un hermano gemelo acabara de aparecer en su vida. Gemelo e independiente.

Porque… ¿era él?

¿Qué él?

¡Él estaba allí, en la parte oscura del espejo!

¡Extraordinario!

¡Y aterrador!

Pero lo fue más cuando el Luis del ático que acababa de abandonar le habló.

—No te esfuerces, no hay salida. Se puede entrar, pero no salir.

No podía creerlo. Era él, reconocía su voz, y su imagen, aunque la imagen era… ¿distinta? Los ojos parecían más duros, la sonrisa, mucho más fría que el ambiente a su alrededor, y el aspecto era desafiante.

Pero había algo más.

Su peca en la mejilla derecha ahora estaba en la izquierda. Y el reloj que llevaba en la muñeca izquierda, ahora lo traía en la derecha.

¡Era su imagen, al revés, pero le hablaba y se movía por su cuenta!

—¡Oh, no! —gimió.

—¿Te ocurre algo? —se burló el otro Luis.

—Esto es una pesadilla, ¿verdad? Esto no está ocurriendo.

—Sabes que está ocurriendo.

—¿Quién eres?

—¿No lo adivinas? —hizo una mueca de desprecio y burla—. Sí, en el fondo siempre has sido un cobarde. Nunca me has dejado salir, me has tenido oculto, reprimido.

—¿Qué?

—¿De veras no lo entiendes?

—No.

—Soy tu otro yo, Luis —dijo su doble despacio—. Todas las personas son de una forma, pero ocultan otra en su interior. Todas dicen una cosa y piensan otra. Todas tienen un lado positivo y otro negativo. El bien y el mal. Es muy sencillo.

—¿De qué estás hablando?

—No te hagas el tonto. Yo soy tú, y tú eres yo, sólo que ahora ya no estamos juntos, bajo un mismo cuerpo, sino separados. No puede ser más sencillo. Tú eres un estúpido, "un buen chico". Pero dentro de ti estaba yo, acechando. Ahora he salido, por fin, de ti.

—¿Y para qué?

—Para ser libre. ¿No querías hacer muchas cosas, y no deseabas otras, como lo de anoche acerca de papá, mamá y Norma? Pues bien, ahora podrás hacerlas. Bueno, yo las haré. No sólo hemos cambiado de lado, sino que nos hemos dividido.

—¡No!

—Tú quisiste entrar en la zona oscura.

—Sácame de aquí.

—¿Para qué?

—¡Es que no puedo quedarme en este lado de...! —pareció recordar algo de pronto—. ¿Qué lugar es éste? ¿Dónde estoy? ¿Qué es la zona oscura?

—Ya lo verás.

No le gustó la sonrisa de su otro yo. La invisible mano que se había apoderado de él lo empujaba y arrastraba hacia la tristeza y la desesperación. Trató de luchar contra ella y se abalanzó contra el cristal una vez más.

El Luis del otro lado del espejo, el que ahora ocupaba el mundo real, se rio sádicamente de sus vanos esfuerzos.

— ¡Que tengas suerte, "hermano" — se despidió el otro Luis.

Luis reprimió las lágrimas que estaban por salir de sus ojos.

— ¡No! — volvió a gritar —. ¡Espera!

Su otro yo iba a marcharse, dejándolo encerrado dentro del espejo.

Atrapado.

Para siempre.

6

Lo vio dar un paso, dos.

Aplastado contra el cristal, presa del pánico, supo que de nada le serviría suplicar.

—¡No podrás vivir en ese mundo sin mí!

Su otro yo se detuvo de pronto.

Lo miró.

—¿Por qué? —quiso saber.

—Porque nadie puede ser únicamente bueno o únicamente malo.

El Luis perverso se encogió de hombros.

—Lo intentaré.

—Espera…

—¿Ahora qué quieres?

—No les hagas daño.

—¿A quiénes?

—A papá, a mamá y a mi hermana.

—Ayer querías que él perdiera el trabajo, que ella se quedara muda, y que Norma se volviera fea. ¿Qué te pasa hoy?

—Tengo miedo.

Su otro yo sonrió una vez más.

—Sí, el miedo es un sentimiento muy profundo —dijo—. Ahora tú tendrás oportunidad de experimentarlo a fondo, de conocerlo bien.

—¿Qué es el espejo?

—No lo sé.

—Sí lo sabes.

—No, no lo sé —insistió el otro Luis—. Quizá sea una puerta, un pliegue del tiempo y el espacio, una arruga cósmica, un agujero negro, ¿qué más da? No me importa. Lo único que cuenta es que, al entrar en él, me has liberado a mí, y que, ahora, cada uno de nosotros está en un lado distinto. Contigo me aburría mucho. Ahora será diferente.

En cualquier momento, su otro yo desaparecería y lo dejaría solo.

Tal vez, sus papás encontraran el espejo y descubrieran la verdad. ¡No podía quedarse encerrado en un mundo oscuro y frío como aquél!

Era demasiado espantoso.

—¡Luis!

—Vamos. No estás muerto. Tan sólo eres un tonto que se ha perdido.

—¿Y tú?

—Ya te dije: la pasaré bien aquí. Será divertido.

Luis recordó a los Heredia.

¡Los Heredia!

—Por favor… —suplicó—. Si tú eres yo, y yo soy tú, no puedes odiarme.

—Y no te odio, pero siempre has sido muy aburrido, un tonto. ¿Tanto te costaba ser malo alguna vez? Es sano, ¿sabes? Tenía tantas ganas de salir, que ahora me siento… —soltó una risita pérfida y se frotó las manos—. Bueno, ya está bien de tanta plática. Adiós, Luis, que te diviertas, aunque… sinceramente, lo dudo.

—¡No te vayas!

Su otro yo llegó hasta la puerta del ático.

—¡Regresa!

La puerta se cerró tras él.

—¡Nooo! —gritó Luis inútilmente.

No hubo ni un sólo eco. El silencio devoró su alarido. Tras él, todo quedó silencioso.

Sus padres, su hermana… ¡estaban perdidos!

Su lado malo parecía capaz de todo. De todo.

—Por favor… —gimió.

El peso de su abrumadora soledad y su miedo invadieron su nueva realidad.

1

Debió de pasar una eternidad, o tal vez no. Allí era imposible tener una noción exacta del tiempo, y la oscuridad le impedía mirar el reloj. Ni acercándose al cristal conseguía ver algo.

En el otro lado, todo era silencio, quietud.

¿Y del suyo?

Desde luego, no podía quedarse quieto por siempre. Se moriría de hambre, y de frío. Tenía que hacer algo. Buscar una salida.

Aunque su otro yo le hubiera dicho que no había ninguna.

Para no volverse loco, trató de no pensar en ello y se enfrentó a las sombras por primera vez, si no decidido, al menos comprendiendo que era lo único que podía hacer. Dio una última patada al espejo, y tras este fracaso, su frustración se volvió resignación. Por allí no había escapatoria posible. Así que dio un paso, y otro, y un tercero.

Se hizo la claridad.

Al cuarto paso, empezó a reconocer el lugar. Al quinto, ya tuvo la certeza. Estaba en el ático.

En el mismo ático de su nueva casa.

Sólo que todo estaba al revés.

Lo que antes se encontraba de un lado, ahora ocupaba el mismo lugar, del otro. La misma puerta, situada enfrente, no se abría de derecha a izquierda, sino de izquierda a derecha.

No lo pensó mucho. Se abalanzó sobre la puerta y la abrió. Vio la escalera, también opuesta a la original, del otro lado del espejo. Tenía ganas de bajarla de un salto, pero no se precipitó. Ni siquiera sabía qué encontraría abajo.

Claro… ¿qué podía encontrar?

Tenía una idea imprecisa, aunque no quería darle forma de pensamiento ni mucho menos expresarla.

Llegó al primer piso. La puerta de su habitación quedaba a la derecha. La abrió. Primero pensó que se había equivocado. Luego reconoció sus cosas. Su ropa ya no tenía el mismo aspecto, pues se veía rota y descuidada.

Pero lo más interesante eran las paredes, que estaban llenas de carteles terroríficos, con tumbas y sangre fluyendo a borbotones, asesinos, grupos demoniacos, banderas piratas, y frases escritas con aerosol en las que podía leerse: "Haz la guerra y no el amor", "El mejor amigo es el amigo muerto", "No hagas hoy lo que de todas formas no harás nunca", "No hay futuro, por eso rompe ahora todo lo que puedas" o "¡Que corra la sangre!".

Cerró la puerta, mareado. No quería entender.

Esperaba despertar de un momento a otro.

¡Sí, se trataba de eso, de un sueño! ¡Lo que le había contado Elisa sin duda lo había alterado!

De pronto, oyó voces provenientes de abajo.

¡Su papá, su mamá y su hermana!

—¡Oh, menos mal! —suspiró temblando.

Corriendo y sin detenerse, bajó el último tramo de escaleras, sin pensar, con el alma encogida y la mente llena de ansiedad. Sólo deseaba verlos, sentirlos, saber que todo estaba bien. Al llegar abajo se precipitó hacia la puerta de la cocina y la abrió de golpe. Demasiado de golpe.

Su mamá, que sostenía la jarra del agua, la misma que él había estado a punto de romper la noche anterior, brincó ante la inesperada entrada y la jarra se le escapó de las manos.

La jarra se estrelló contra el suelo, como una bomba, diseminando cristales por todas partes y esparciendo el agua que contenía.

Luis los miró, asustado.

8

Eran ellos, los tres, pero…

Su mamá lanzó una sonora carcajada y luego, con la boca torcida, se colocó un cigarrillo entre los labios.

—¡Vaya, se ve que te levantaste con energía. ¡Eso está bien, maldita sea!

—Tengo el hermano más rudo de toda la colonia —dijo Norma orgullosa.

Luis todavía estaba bajo el efecto del estropicio, el cual pudo más que la sorpresa de verlos en su nuevo estado. Demasiados años temiendo meter la pata como para cambiar en unos pocos segundos, y más sin su parte negativa.

—Perdón… —exclamó.

En ese momento, su papá lanzaba un escupitajo en dirección al fregadero, sucio y atiborrado de platos, con comida pegada por todas partes, algo de lo más extraño, tomando en cuenta que habían llegado el día anterior... salvo que toda aquella porquería ya estuviera allí. Lo tomó del brazo y se lo retorció con dureza, haciéndole daño.

—¿Qué has dicho, enano? —rezongó.

Luis lo miró.

Fue como si lo viera por primera vez.

A él, a su mamá y a Norma.

—Yo... —balbuceó.

—Que no te vuelva a oír pidiendo perdón, ¿eh? ¿Dónde está tu orgullo, pedazo de idiota?

—Algo se ha de traer entre manos —afirmó su hermana—. Yo que tú me iría con cuidado, papá. Es capaz de haber aprendido lucha libre y de hacerte una llave.

Su papá lo soltó. Casi parecía temeroso.

—Ése es mi hijo —lo felicitó. Luego le dio una palmada fuerte en la espalda, le guiñó un ojo y agregó—: Sigue así, hijo. Duro con ellos.

Luego volvió a lanzar un escupitajo que fue a incrustarse en la pared, debido a la suciedad que la invadía.

—¿Tienes hambre? —le preguntó su mamá, mientras apartaba los cristales de la jarra con el pie, sin molestarse en recogerlos ni, mucho menos, en secar el agua que había en el suelo.

—No —reconoció él.

—Mejor. Me parece que estás muy gordo.

Por si aún tenía dudas, ésa había sido una prueba definitiva. Su mamá siempre lo veía delgado, y se empeñaba en que desayunara "fuerte", porque decía que era el alimento más importante del día, y siempre lo molestaba si no se peinaba, no se lavaba los dientes o las manos, no se bañaba diario o si se ponía la misma ropa del día anterior. Era la reina de la limpieza.

Su mamá, claro.

Su verdadera madre.

No el otro yo de ella.

Porque estaba clarísimo que se encontraba al otro lado del espejo, donde el mundo estaba al revés, donde lo normal era lo anormal, donde el mal era el bien.

Un mundo terrible en el que era un extraño.

¡Y en el que estaba condenado a vivir!

9

Su mamá, que antes era un dechado de seriedad, principios, y una obsesiva de la limpieza, ahora era todo lo contrario. Reía sin parar, fumaba sin parar, hablaba sin parar, y parecía una de esas mujeres de aspecto extraviado que a veces iban por la calle, sucias, cargadas de bolsas, sin un hilo de razón. Toda su belleza parecía perdida, olvidada. Su cabello era una maraña de mechones grasientos, los ojos, dos rendijas debido al humo que salía del cigarrillo que solía llevar entre los labios, y su ropa estaba tan sucia como las paredes o el fregadero rebosante de platos.

A los dos minutos, salió de la cocina olvidándose de todo, y se sentó delante del televisor.

Su otro yo veía las telenovelas lacrimógenas que tanto la hacían suspirar y llorar.

Ahora la vio disfrutar, como loca, una película de un psicópata asesino en serie, que se divertía quitándoles, a tiras, la piel a sus víctimas antes de echarles hormigas encima para matarlas.

—¡Muy bien! ¡Así! ¡Ja… qué bien grita ese idiota! ¡Despelléjalo bien! ¡Oye, no olvides la piel de las plantas de los pies!

Su papá, desde luego, no trabajaba. Había deseado que su mamá fuera muda y no lo era. Pero su papá… Lanzar escupitajos era la menos problemática de sus costumbres. También eructaba y arrojaba al ambiente, cada dos pasos, una generosa ración de ventosidades, mientras se rascaba el prominente estómago con una mano y con la otra sostenía una lata de cerveza que parecía unida a él a perpetuidad. En cuanto terminaba una, abría otra. Por si fuera poco, olía a rayos.

Pero la peor era su hermana Norma. Vestía de negro, como siempre había aparecido en sus fantasías. Y era tan siniestra, que daba miedo. Podría ser la novia de Drácula o de Frankenstein, o familiar de los Addams o de los Monster, pero en serio. Su largo cabello negro le llegaba más abajo de media espalda, sus ojos estaban sombreados de negro y los labios pintados del mismo color, así como las uñas de las manos. Su piel era lo único blanco. Vestía con recato extremo, sin usar los escotes y las minifaldas de su otro yo, y nada de ropa ceñida, sino amplia. Causaba miedo.

Pero más miedo sintió Luis cuando la vio sentarse con un muñeco entre las manos. Un muñeco sospechosamente parecido a su último "novio". Con una sonrisa cruel en los labios empezó a clavarle agujas y alfileres.

—Soy yo, cariño —susurró—. ¡Buenos días!

Se sintió solo y desamparado en mitad de la sala, que era como estar en mitad de ninguna parte. Nadie le ordenó irse a estudiar, o a arreglar su habitación, o a hacer alguna cosa de provecho, o lo que fuera. Lo ignoraban por completo. Lo que siempre había deseado.

Pero no de aquella forma.

Su mamá se carcajeaba viendo el sufrimiento del despellejado vivo, que le suplicaba a su torturador que ya le echara encima a las hormigas.

Su papá lanzó su enésimo escupitajo, empeñado en darle entre los ojos al retrato del tío Jaime.

Su tierna hermana acababa de arrancarle un brazo a su muñeco y parecía estremecerse de irrefrenable gozo.

Luis salió de allí.

El mundo al revés.

No le gustaba el mundo al revés.

Encontró un martillo en la caja de las herramientas. No le habían enseñado a resignarse ni a rendirse. Con él en las manos regresó al ático. Al entrar ahí sintió de nuevo el frío, aquella ausencia de sentimientos que se hacía más patente. La oscuridad que rodeaba la parte trasera del espejo ya no lo intimidó. Incluso hizo algo más, por si acaso. Pasó por delante.

Se vio él mismo, como siempre.

Nada más.

Por aquel lado, el espejo era simplemente eso, un espejo. Casi estaba seguro de que por allí sí podría romperlo.

Y con eso probablemente cerrara esa entrada para siempre.

Su único medio de escape.

Volvió a la parte trasera, levantó el martillo con las manos, reunió todas sus fuerzas y lo descargó en la superficie.

Nada.

Ni un rasguño.

Acercó su rostro al cristal y llamó:

—¡Luis!

Silencio.

—¡Papá! ¡Mamá!

El mismo resultado.

Y entonces, mientras volvía a comprender que estaba perdido y atrapado, derrotado por aquel misterioso y diabólico espejo, entendió algo más, latente en su interior, pero que de repente se le acababa de manifestar con toda la magnitud de lo que representaba.

Mientras él, el Luis bueno, estaba allí con la versión mala de su familia, al otro lado, en el mundo real, el Luis negativo estaba con sus padres y su hermana buenos.

Su otro yo, el Luis malvado y cruel, los tenía en su poder.

Así ocurrió con los Heredia años antes.

Aquellos otros Heredia que habían sembrado el mundo real de dolor y atrocidades.

Y no podía hacer nada.

Luis se dejó caer en el suelo, al pie del espejo, y sin poder evitarlo, se echó a llorar.

10

Debió pasar allí una eternidad.

Hasta que, sin fuerzas, se levantó pesadamente y volvió a salir del ático.

Su papá siempre le decía que había una solución para todo, que las salidas a cualquier problema nunca se cerraban por completo.

Pero no le había mencionado nada acerca de espejos diabólicos, claro.

Su doble perverso había sido terminante: no existía escapatoria.

Una vez más, pensó en los Heredia, casi de forma instintiva y como último recurso. Tal vez allí estuviera la clave. Eran anticuarios, así que ellos debían de haber encontrado el espejo. Luego sus dobles, sus otros yos, habían salido del espejo para tomar su puesto. Siendo así, los buenos debían estar atrapados todavía de ese lado. Si los encontrara podrían decirle…

Pero los Heredia malvados habían desaparecido un día, de repente.

¿Qué podía significar eso?

¿Qué habría sido de ellos?

¿Habrían cruzado de nuevo el espejo?

¿Era lógico pensar que las dos partes de uno mismo pudieran convivir en uno de los dos lados del espejo por separado?

Llegó hasta la planta baja sin saber qué hacer. La escena no prometía demasiado.

Su papá dormía en una butaca, roncando con estrépito. Norma le platicaba por teléfono a su mejor amiga lo que le había hecho a su último novio, al que el adjetivo "último" no podía haberle quedado mejor. Se reía feliz, como una niña mala y perversa ante una diablura. Al ver a su hermano, dejó de hablar unos segundos y le dijo, irónica:

—Luis, por todos los diablos, ¿adónde vas tan limpio? Ya decía yo que te notaba algo raro. ¿De dónde sacaste esa ropa? ¿Vas a ir una fiesta de disfraces o algo así?

—Yo…

No pudo agregar nada más. Su hermana lo ignoró y regresó a la conversación telefónica. Cuando se alejó, la oyó decir:

—Era mi hermano. Me encanta, ¿sabes? Es un gran tipo. Es el más rudo de todos los chicos que conozco, y tiene chispa, ¿entiendes? E ingenio. Creo que llegará lejos.

Aquello era demasiado.

Su hermana "lo adoraba" por ser un "enemigo público". Su otro yo tenía que ser alguien de mucho cuidado.

Genial.

Había tenido que cruzar al "otro lado" para oír a su hermana decir que lo quería y le caía bien.

El mundo estaba al revés en verdad.

Ya había terminado la película del despellejado vivo y ahora su mamá centraba toda su atención en la siguiente que, por lo visto, trataba de un maniaco que pretendía acabar con la raza humana mediante la dispersión de un gas letal.

Luis miró con inquietud la película durante unos segundos. ¿Dónde estaba el chico que salvaba al mundo de la locura del maniaco?

—La vi hace años —dijo su mamá al verlo a su lado, mientras apagaba el cigarrillo que casi le había quemado el labio y tomaba el siguiente con la otra mano—. Es muy buena.

—Oye, mamá, ¿quién evita que la raza humana desaparezca?

—¿Qué? —ella le dirigió a su hijo una mirada dudosa—. ¿Estás bromeando? Ya te dije que era muy buena. Yo no pierdo el tiempo viendo cine de ficción. Los idiotas de la Agencia del Medio Ambiente no llegan a tiempo, el gas se expande, la humanidad muere entre estertores agónicos y quedan pocos sobrevivientes, que protagonizan la segunda parte, en medio del caos general. La séptima y última, *Cyclon 7*, es la más genial: después de muchas peripecias llegan a Marte, creyéndose a salvo, y dispuestos a empezar de nuevo, pero ahí los marcianos se los comen.

Luis no quiso ver ni oír más. Si las películas no tenían un chico bueno, un héroe salvador…

¿Cómo era el mundo exterior?

No tuvo que esperar mucho para saberlo. En ese momento llamaron a la puerta y sus últimas dudas acerca de lo que debía hacer se despejaron. Nadie fue a abrirla y él lo hizo.

Apenas si tuvo tiempo de ver a Elisa.

Porque antes de poder hacer o decir nada, ella lo derribó de un feroz y calculado puñetazo que lo alcanzó en mitad de la barbilla.

Cayó de espaldas y se dio contra el marco de la puerta, así que, además, se hizo un buen chichón. Desde el suelo contempló a Elisa, tan sorprendido como asustado.

Porque seguía siendo rubia, de ojos grises, pero su cara ya no era dulce.

Más bien parecía un diablo camuflado.

—¿Qué… haces? —masculló con la mandíbula medio paralizada.

—¡Hola! —lo saludó animosa.

—¿Hola? ¿Eso es todo lo que se te ocurre decir? —se levantó con náuseas—. ¡Me has hecho daño!

Elisa frunció el ceño cuando vio que Luis no respondía de otra forma.

—¿Qué te pasa? —preguntó.

—¿A mí?

—¿No vas a devolverme el golpe?

La sorpresa de Luis aumentó.

—¡No! —exclamó.

—¿No? —repitió su nueva vecina.

—¡Pues claro que no!

Ella se paró de nuevo frente a él. El segundo puñetazo, esta vez en el estómago, lo tomó tan desprevenido como el primero.

No cayó al suelo. Sólo se dobló sobre sí mismo. Sin aliento.

—¡Es… tás… lo… ca! —gimió.

—Y tú eres un tonto perdido. ¿Qué clase de vecino eres?

—¿Yo?

—Sí. Ahora resulta que eres un aburrido chico antiviolencia.

Estaba furiosísimo. ¿Antiviolencia? Le dolían la mandíbula y el estómago. Veía lucecitas por todas partes y, aunque el aire volvía poco a poco a sus pulmones, aún le costaba respirar.

Elisa dio media vuelta.

Encima era ella la que estaba ofendida.

—Adiós —se despidió resoplando aburrida.

La necesitaba. Era su única… ¿amiga?

—Espera —la detuvo.

Elisa se paró y esperó en el jardincito que separaba la casa de la avenida. Cuando Luis la alcanzó, su reacción fue tan inesperada como lo había sido la de ella al aparecer en la puerta.

No le pegó: la empujó con todas sus fuerzas.

Elisa cayó de espaldas sobre las piedras de un macizo de flores secas y muertas que había cerca, y se hizo una cortada en el brazo con una de las aristas de la roca.

Al levantarse, la herida empezó a sangrar.

Luis contuvo el aliento.

Ahora ella lo atacaría y tendría que…

—¡Guau! Eso estuvo muy bien —lo alabó Elisa.

—Es que… —estaba aturdido, sin saber muy bien qué decir. Tuvo que usar su imaginación y su instinto para volver a salvar la situación—. Me tomaste desprevenido, y como soy nuevo… Bueno, en fin, no sabía bien cuáles eran las reglas aquí.

—¿De dónde vienes? —Elisa se chupaba la sangre sin hacer ninguna mueca de dolor, y sin llorar, como habría hecho cualquiera—. Las reglas son iguales en todas partes.

—Cambiarse de casa siempre es un fastidio —advirtió él, algo preocupado—. ¿Te ayudo?

—No, para nada —su "amiga" se encogió de hombros—. Sólo es un rasguño. Cada vez que lo vea, pensaré en ti. Será nuestro primer recuerdo.

—Ya.

—Bueno, ¿quieres que te enseñe este lugar?

¿Enseñarle… qué? El mundo al otro lado del espejo era espantoso, horrible. Ya tenía la prueba.

Pero tenía que verlo, aprender, habituarse para no meter la pata y, sobre todo, buscar la forma de escapar. Tal vez dar con los Heredia.

Descubrió algo más: la noche anterior se había puesto de acuerdo con Elisa para que ella le enseñara la colonia. Eso quería decir que al otro lado del espejo la vida transcurría paralela, sólo que de otra forma.

El mal sustituyendo al bien, con todos los otros yos del mundo real a sus anchas. Excepto su otro yo, que estaba donde no debía estar.

—Sí, vamos —suspiró él.

—Te ves raro —dijo Elisa con desconfianza.

—Es por… —tenía que ir con cuidado, o ella sospecharía—, por el cambio de casa, ya sabes.

—Sí, ha de ser duro. Seguro tenías tu pandilla.

—Claro que la tenía —suspiró él.

Iban a empezar a andar por la acera cuando, de pronto, sucedió algo imprevisto, pero revelador.

Un gato iba cruzando la avenida y, al mismo tiempo, un auto salía de alguna parte, tal vez de una de las casas. En vez de frenar, o esquivarlo, el conductor pisó el acelerador.

El coche dio una embestida al gato. Y lo atropelló sin piedad.

12

Se oyó un grito doble, el del pobre animal, agónico y dolorido, al ser aplastado por el automóvil, y el del conductor, salvaje y jubiloso, al conseguir su cruel objetivo.

Y a continuación, un tercero.

—¡Bien!

Luis miró a Elisa. Había sido ella.

El gato aún no estaba muerto. Todavía se debatía en medio de un charco de sangre, moviendo las patas de modo patético. Al reparar en el detalle, la satisfacción de la niña disminuyó.

—Ven, vamos —lo tomó de la mano y tiró de él, recuperando su punto de sádica alegría.

—¿Qué haces…?

No pudo evitarlo. Jalado por Elisa, llegaron junto al animal, que tenía las vísceras de fuera por la brutal herida en su abdomen. Pensó que lo mejor sería rematarlo, para evitarle el sufrimiento.

Elisa también lo pensó, pero por otra razón.

Fue al jardín, tomó una piedra y regresó con él. Con una cruel sonrisa cómplice, se la tendió.

—Toma. Tú primero —lo invitó—. Machaca a este infeliz animal.

Una cosa era matar al gato por piedad, y otra muy diferente…

—¡No! —retrocedió.

Luis vio que, de nuevo, había metido la pata. Elisa frunció el ceño. Cuando estaba contenta, su cara feroz demostraba sus espantosos sentimientos y sus horribles ideas. Pero cuando se enojaba o mostraba recelo, era peor. Las cejas se unían por encima, y el gris de sus pupilas se hacía casi transparente, como en las películas de zombis o las de asesinos con ojos de gato, o blancos, o como fueran, menos ojos normales.

¿Qué podía hacer?

La expresión de su nueva vecina volvió a cambiar rápidamente.

—¡Ah!, ya lo entiendo —asintió sonriendo con malévola crueldad—. Quieres que se desangre, ¿verdad? Se trata de eso, de verlo sufrir. Sí, tienes razón, no está mal. Piensas rápido. Eres un genio. Puede durar cinco o 10 minutos. Será divertido.

¡Eso era peor, mucho peor! Luis miró al pobre animal. El estómago se le revolvió. Sólo le faltaba vomitar para que ella... Y estaba a punto.

Tenía que pensar algo, y rápido.

Iba a decirle que mejor no perdieran el tiempo, dispuesto a rematar al pobre gato para evitarle sufrimientos, cuando éste dejó de moverse.

Elisa pareció muy desilusionada.

—Oh, vaya —masculló—. El muy estúpido.

—Estaba peor de lo que pensábamos —dijo Luis, tratando de que no se le notara el alivio.

—Hemos perdido una gran oportunidad, aunque tu idea era buena. En fin —la chica recuperó su buen ánimo—, vamos a ver qué hacemos por ahí, ¿de acuerdo?

—De acuerdo.

Los dos comenzaron a caminar por aquel mundo de pesadilla.

Ese nombre no le podía quedar mejor.

Si tenía que vivir allí para siempre...

13

Los coches iban por el lado opuesto, los relojes funcionaban a la inversa, todo estaba al revés. Lo peor, y se dio cuenta a los pocos pasos, era que también la escritura funcionaba al revés, es decir, que todo se leía como cuando se reflejaba en un espejo. Si quería leer algo tenía que imaginárselo, a su vez, reflejado en otro espejo para ponerlo en la posición correcta. Tal vez eso era lo peor.

Si le hacían escribir cualquier cosa, lo descubrirían sin remedio.

De hecho, cada paso que daba era una especie de trampa mortífera.

Lo comprobó cuando Elisa le lanzó una mirada escrutadora y le dijo:

—Oye, ¿por qué estás tan limpio?

—Puedes imaginártelo, con lo del cambio y todo eso… hubo que lavar la ropa para que hiciera menos bulto en las maletas.

Era la respuesta más brillante que había tenido hasta ese momento.

—Ah, ya entiendo —asintió ella, convencida—. Pero así pareces un bicho raro. Tienes que ensuciarte un poco.

Mientras lo decía, lo empujó sin miramientos a un charco de lodo. Luis cayó de bruces en él, y al querer levantarse, resbaló y cayó de espaldas. Cuando estuvo bien cubierto, se levantó y se sacudió como pudo, y forzó una sonrisa, tan falsa como su ánimo.

—¡Qué diferencia!

—¡Sí! —aseguró Elisa—. Bueno, ¿qué hacemos?

—No sé —dijo inseguro—. Tú sugiere.

—¿Se te antoja incendiar algo?

—Bueno… —¿qué respuesta merecía una pregunta como ésa?—, no sé si será lo mejor, recién llegado y todo eso.

—Te gusta pensar las cosas, ¿eh?

—Supongo que sí.

—Yo soy más intuitiva.

—Ah.

—No digo que sea mejor, pero así, sin hacer planes, dejándote llevar…

—Claro, por supuesto.

—No te preocupes. La pasaremos bien.

¿A base de puñetazos cada mañana, de matar gatos o de incendiar casas…?

—¿En qué escuela vas?

—¡¿Qué?!

Había vuelto a meter la pata.

Elisa lo miraba como si fuera un marciano.

—¿Ibas a la escuela? —le preguntó.

—Claro —Luis se armó de valor—. Una de tácticas de guerra, instrucción de combate urbano, educación antisocial y todo eso.

—No sabía que hubiera escuelas así.

—Bueno, ésta es una colonia normal. Yo vivía en una zona de lujo.

—Vaya, qué suerte —dijo ella, impresionada.

Había vuelto a salir del paso.

¿Hasta cuándo lo conseguiría?

No pudo pensarlo mucho. Su siguiente problema apareció allí mismo, ante ellos, en forma de chica, un poco mayor que Elisa, de cabello rojo y expresión aún más malévola. De no ser por eso, habría sido atractiva.

—Hola, idiota —saludó la recién aparecida.

—Hola, estúpida —le correspondió Elisa.

Las dos sonreían.

—¿Es tu nuevo novio? —continuó la pelirroja.

—Un amigo.

—Es guapo.

—Si tú lo dices.

La pelirroja se acercó a Luis.

—Cuando te aburras de esta tonta, me llamas, ¿sí? Mi nombre es Marcela.

—Yo...

La pelirroja los ignoró y se alejó sin voltear, contoneándose con descaro. Luis esperó a que Elisa reaccionara, pero no dijo nada. Sonreía.

Caminaron. A los pocos pasos llegaron a una plaza sobre un promontorio desde el que se podía apreciar casi toda la ciudad. Si hasta entonces todo le había parecido sucio y tétrico, como si estuviera en medio de una película tenebrosa, lo que vio desde allí le sobrecogió el alma.

La ciudad parecía abandonada, o víctima de una epidemia, o bombardeada. Todo era viejo, gris y asqueroso, salvo un edificio blanco, situado a la derecha, casi aislado del resto.

—¿Qué es? —señaló Luis.

—La cárcel y el hospital psiquiátrico.

—¿La cárcel y el...? —no comprendió—. ¿A quién meten ahí?

—¡Qué pregunta! —sonrió Elisa burlonamente—. ¿A quién quieres que metan? Pues a los que no siguen las reglas, a los que hablan de bondad, respeto, paz y amor. A gente perturbada y antisocial.

A los que eran como él al otro lado del espejo.

Ahí acabaría si no se iba con cuidado.

14

Elisa lo seguía observando.

—A veces tengo la impresión de que…

—¿Qué pasa? —preguntó Luis.

—No sé —vaciló su amiga—. Me caes bien, pero… Sí, ya sé que eres nuevo, y que debe ser duro tener que acostumbrarse y todo eso, pero te comportas de una forma extraña. Incluso tu cara es… diferente.

—¿Qué le pasa a mi cara?

—Que es de buena persona.

Inmediatamente, Luis puso cara de malo.

—Es que aún no me conoces.

—Pues quiero conocerte, verte en acción.

—Lo mío es más sofisticado, ¿sabes?

—¿Crueldad mental?

—Exacto.

Quería echar a correr, escapar. ¿Crueldad mental? ¿Cuánto tiempo podría engañar a Elisa? ¿Y a sus papás? Bueno... a sus "nuevos" papás. La pesadilla no había hecho más que empezar y el terror ya le subía por todas partes.

—¿Cuál ha sido tu mayor hazaña? —quiso saber su vecina.

—Ha habido varias —pensó rápido—. Una vez, cambié los semáforos de un cruce y provoqué un choque múltiple.

—En tu ciudad, ¿los semáforos funcionaban?

Debía tener cuidado.

—Fue una prueba piloto, y yo la arruiné.

—Continúa.

—Otra vez... —¿qué cosa podía contar? ¡Oh, claro, el accidente de su abuela!—. Sí, un día dejé un encendedor de gas junto a la estufa prendida, y cuando mi abuela se acercó, le estalló. La vieja se quedó sin cabello, y con la cara más negra que... Fue genial y divertido.

—Muy bueno, sí —rio Elisa.

Luis miró nuevamente la cárcel y el hospital psiquiátrico. Eso le recordó a los Heredia.

¡Los Heredia!

Mientras los malvados estaban en su mundo, los buenos tenían que haber vivido en éste, y si habían sido descubiertos...

—Elisa, ¿recuerdas a las personas que vivían antes en mi nueva casa?

—No mucho, porque yo era muy pequeña.

—¿Quiénes eran?

—Los Heredia.

Bien, ¡bien!

—¿Qué fue de ellos?

—Era gente mala —puso cara de asco—. Primero eran normales, como todo el mundo, pero un día… Mi mamá dice que se volvieron completamente locos.

Luis no podía quitar la vista de la cárcel y el hospital psiquiátrico.

—¿Los encerraron?

—No lo sé, creo que sí, fue hace tanto tiempo. Hubo un misterio. Después del cambio, de que se volvieran locos, aparecieron unos hermanos gemelos. ¿Puedes creerlo? Eran idénticos, los dos hermanos se habían casado con las dos hermanas.

Hermanos gemelos…

¡Los Heredia habían regresado cuando sus yos buenos aún estaban de este lado del espejo!

—¿Dónde están ahora?

—No lo sé.

—¿Lo sabrá tu mamá?

—Tal vez.

—Vamos a verla.

—¡Oye, espera! —detuvo a Luis—. ¿Por qué te interesan tanto los Heredia?

—Vivo en la que fue su casa, ¿recuerdas? Me gustaría que me contaran cosas acerca de ellos.

—¿Para qué?

—Quiero saber en qué habitación se murió alguien o si hubo algún asesinato... cosas así. Me gusta invocar fantasmas y espíritus.

—¿Ah, sí? —atrapó todo el interés de Elisa.

—Soy bastante bueno haciéndolo —presumió.

—Los Heredia locos hablaban de un espejo diabólico, y de otro mundo. ¿Qué te parece?

El espejo.

—Tal vez fueran fantasmas atrapados en este mundo por alguna razón.

—¡Sí, genial! —se animó su vecina.

—Entonces, ¿vamos a ver a tu mamá?

—De acuerdo. Vamos.

Lo tomó de la mano para ir a su casa.

Luis respiró sólo un poco más tranquilo.

No tenía ni idea de qué decirles a los Heredia, y menos si daba con los malos, porque ellos sabrían que él era su yo positivo.

Los Heredia ya habían estado en su mundo.

En la mente de Luis aún resonaba la voz de su otro yo: "No hay salida, no hay escape, no hay retroceso. El espejo sólo funciona en una dirección".

15

No pasaba mucha gente por la calle, y eso lo tranquilizó. Sin embargo, la poca que había parecía sacada de una película de miedo, o de una de esas apocalípticas y posnucleares en las que los humanos se enfrentan al desafío de la supervivencia. En los árboles no había pájaros, y el gato aplastado daba la impresión de ser poco menos que una especie única, porque no vio ninguno más, ni tampoco perros. No se atrevió a preguntarle nada a Elisa, por si acaso.

—¿Quiénes han vivido en mi casa desde que se fueron los Heredia? —le preguntó a Elisa.

—Nadie de fiar.

—¿Por qué?

—La casa tenía malas vibraciones.

—¿Por qué has dicho "nadie de fiar"?

—Me refiero a que nadie la compró, pero sí se metieron en ella muchos vagabundos y libertarios sociales. Gracias a ellos ha ido recuperando su aspecto. Los Heredia locos la pintaron de blanco. Parecía un pastel.

—¿Y cuándo llegaron los Heredia normales?

—Ya te dije que no recuerdo. En casa no pasamos el día hablando de eso.

Iba a decir algo más, pero ya no pudo.

Hasta ellos llegó el clamor de una riña, o algo parecido.

Luis no quería perder el tiempo, pero Elisa fue más insistente. Lo jaló de la mano en dirección al griterío. Pronto dieron con la causa del alboroto. Que se hizo evidente cuando vieron la escena.

Era una docena de chicos y chicas, como de 14 o 15 años. Vestían ropa negra, con calaveras pintadas, muñequeras de hierro, botas con estoperoles y otros adornos, como pañuelos amarrados en la cabeza o anudados a la cintura. La locura de sus gritos y la pasión de sus gestos se debía a la pelea que estaban sosteniendo, todos contra todos, y en la que empleaban cuantos objetos tenían a su alcance: palos, piedras…

Varios de ellos ya estaban en el suelo, sangrando, y los que se encontraban de pie continuaban golpeándolos sin piedad.

—¡Fantástico! —exclamó Elisa—. ¡Una pelea!

Luis se sintió aterrorizado.

Pero no pudo impedir que ella se integrara al círculo, dispuesta a participar.

—Espera —la detuvo él—. Para qué intervenir si ya empezó. Veamos quién gana al final.

Elisa vaciló, pero le dio la razón.

En unos segundos, otros cuatro chicos y chicas quedaron fuera de combate.

Al final eran dos, un chico y una chica, en medio de la batalla, fuertes y seguros, aunque bastante cansados. De pronto, ella le dio una patada en el pecho, y él cayó de espaldas. La vencedora no perdió ni un segundo: recogió una piedra del suelo para acabar el trabajo.

Luis sintió el vértigo, y la presión de la sangre en sus venas y en su cabeza. Ésa era crueldad extrema... Quería escapar, correr, huir muy lejos. ¡Era imposible que todo aquel mundo fuera igual!

Hasta los derrotados animaban a la vencedora.

—¡Acaba con él!

—¡Muy bien!

Luis no pudo evitar hacer lo que hizo.

Ni él mismo fue consciente de sus actos, hasta que escuchó su propia voz diciendo:

—¿Quieren dejar de matarse unos a otros? ¡Se comportan como animales!

16

La escena se congeló.

Todo quedó paralizado.

Incluso el chico que esperaba la pedrada levantó la cabeza para buscar a su absurdo salvador.

Luis.

Uno por uno, los chicos salvajes lo miraron con estupefacta curiosidad.

Con curiosidad dudosa.

Elisa se apartó de su lado.

—¿Qué has dicho, enano? —preguntó la vencedora de la singular pelea, que llevaba una camiseta negra en la que podía leerse: "El segundo tipo más guapo del mundo está muerto".

Luis no podía hablar.

Sabía que era tarde.

Nadie le creería.

—¿Estás sordo? —continuó la chica.

El resto empezó a moverse, despacio, muy despacio, levantándose sin hacer caso de sus golpes y heridas.

Una muchacha señaló a Elisa.

—¿Tú no eres la chica de los Muñoz?

—Sí.

—¿Quién es tu amigo?

—No lo sé —Elisa volvió a mirar a Luis con desconfianza—. Acaba de llegar al vecindario. Lo conocí ayer.

Silencio.

Aunque el corazón de Luis latía como una manada de elefantes enloquecidos.

—¿Eres un antisocial o qué? —le preguntó la que parecía ser la jefa del grupo.

—No —consiguió responder Luis.

—¿No? —la muchacha puso cara de duda—. Entonces, ¿por qué dijiste eso?

—Nos ha llamado animales —denunció uno con tal cara de primate, que asustaba: era cejijunto, peludo y encorvado.

La de la camiseta chasqueó la lengua tres o cuatro veces mientras negaba con la cabeza.

—Eso no está bien —dijo—. Así que si no eres un antisocial insoportable…

Luis pidió ayuda a Elisa con los ojos.

Pero su vecina no hizo nada.

Era una de ellos.

También se debatía en un mar de dudas.

—¿No te gusta la violencia? —preguntó uno.

—¿Ni las peleas? —preguntó otra.

—¿Eres pacifista? —continuó un chico.

—¡Habla!

El grito hizo brincar a Luis. Eso lo desarmó por completo. ¿Qué podía decir?

Nada. Lo habían descubierto.

Estaba perdido. Y muerto de miedo.

Así que hizo lo único que su instinto de supervivencia le aconsejó. Lo único que en un caso como aquél le parecía lógico. Lo que hizo siempre en la escuela, cuando alguno de los chicos mayores lo buscaba para ponerle un ojo morado.

Escapar.

Estaba muerto de miedo, pero no paralizado.

Al contrario, sentía alas en los pies.

De repente, dio media vuelta y echó a correr.

La reacción de los demás chicos no tardó en producirse. Ni un segundo.

—¡Vamos tras él! —se oyó una voz.

Y empezaron a perseguirlo.

17

No tenía escapatoria.

No sólo eran más, sino que estaban en su terreno, y en su mundo.

El mundo del otro lado del espejo.

El mundo en el cual él no era nada ni nadie.

Sólo un antisocial, un bicho raro, un inadaptado, una buena persona.

Si no lo mataban de la paliza, lo dejarían hecho un guiñapo. Y terminaría en la cárcel o en el hospital psiquiátrico.

Pensar en eso le dio renovadas fuerzas.

Sintió que tenía aún más alas en los pies. Un turborreactor.

Detrás, los gritos eran aterradores.

—¡Atrápenlo!

—¡Que no escape!

—¡Hay que triturar a esa chinche!

—¡Tírenle piedras!

—¡Avisen a los demás!

El mundo entero estaba en su contra. Era algo alucinante.

Luis les llevaba una pequeña ventaja, pero no mucha. Un tropezón significaría perderla. O toparse con los amigos de sus perseguidores o meterse en un callejón sin salida. Su única alternativa seguía siendo correr sin parar, y esperar un milagro, aunque no tenía idea de cuál.

Llegó a un lugar desconocido, aunque creía estar bien orientado para regresar a su casa. Tampoco se había alejado mucho en su paseo con Elisa.

La "dulce" Elisa.

—¡Quiero ser la primera en morderlo, me ha engañado! —reconoció su voz.

Y pensar que la noche anterior casi se había enamorado de ella.

Una piedra pasó cerca de su cabeza. No quiso voltear a ver si le arrojaban más. En lugar de eso, dobló una esquina a toda velocidad. La puerta abierta de una casa deshabitada y medio en ruinas le facilitó un inesperado escondite. Fue un acto desesperado.

Se metió en ella, pidiéndole a su suerte que no lo condujera a un callejón sin salida.

Tuvo suerte, primero porque, en la parte posterior, la casa daba a un jardín selvático, y segundo porque, medio oculto entre las sombras, vio cómo sus perseguidores pasaban de largo frente a la puerta por la que acababa de entrar.

No perdió el tiempo. Cuando se dieran cuenta de que no estaba a la vista, retrocederían y no tardarían en dar con la puerta. Cuanto antes llegara a su casa, más pronto estaría a salvo.

Con sus padres.

Aunque... ¿cómo reaccionarían ellos cuando aparecieran los demás acusándolo de antisocial?

Se internó en el jardín y llegó a un muro de piedra. Lo escaló sin dificultad y cayó del otro lado. Iba a pararse, cuando descubrió que estaba en un cementerio. Un pequeño cementerio a un lado de una iglesia en ruinas, con el techo hundido y las paredes derruidas.

No le gustaban los cementerios, aunque fuera de día, pero no tuvo más remedio que ocultarse tras las lápidas, que parecían árboles de piedra, para esconderse de las voraces miradas de sus perseguidores, cuyas voces seguía escuchando, pese a la distancia.

—¡Ha de estar por aquí!

—¡No puede habérselo tragado la tierra!

—¡Busquen! ¡Regístrenlo todo!

Gateó por entre las tumbas. Los nombres de hombres y mujeres en el descanso eterno le golpeaban la retina: Marín, Rodríguez, Haro, Rivera, Pérez, Mondragón, Silva. Algunas tumbas se veían muy viejas, y sus lápidas estaban carcomidas por el tiempo. Duarte, Tamayo, Álvarez, Trejo, Navarro, Ponce. Otras eran recientes, y las lápidas mostraban con orgullo su breve existencia. Pero unas y otras se mezclaban sin mayor problema que el de compartir el breve espacio. Ricos y pobres. Jiménez, Franco, Hernández, Correa, Barrón, Heredia...

¡HEREDIA!

Luis se detuvo en seco.

Había dado con los Heredia, aunque demasiado tarde y, por supuesto, inútilmente.

18

Estela y Darío Heredia, muertos el mismo día.

No se especificaban las causas.

Ni si se trataba de los buenos Heredia, que un día habían llevado el espejo diabólico a su casa, cayendo en él, o si se trataba de los malos Heredia, que tras convertir su hogar y los alrededores en un infierno, habían vuelto al otro lado.

Claro que si habían muerto el mismo día, y juntos… difícilmente podía ser por causas naturales.

Se apoyó en la lápida, agotado, casi vencido. Con los Heredia morían sus últimas esperanzas de subsistencia. No tenía adónde ir, salvo a su casa, con unos padres a quienes no les alegraría mucho saber que su hijo se había vuelto antisocial.

Estaba perdido.

Y muy cansado.

—¡Busquen en el cementerio!

—¡Vamos, vamos! ¡Si se escapa…!

—¡Habría que avisar a la policía!

Volvió a observar la lápida. ¿Y si fueran otros Heredia? Bueno, fuera como fuera, daba lo mismo. Tenía el tiempo encima. Sus perseguidores iban a entrar en el cementerio. Tenía que retroceder, saltar el muro de nuevo, y huir por la misma casa que le había servido para despistarlos.

Se movió.

Usaría sus últimas fuerzas.

Gateó, arrastrándose por entre las tumbas y las hierbas altas. Lo más difícil sería alcanzar el muro de piedra. Entonces lo verían, cuando tratara de pasarlo. Se detuvo a menos de cinco metros. Tenía cerca una tumba en la que leyó: "Aquí yace Jacinto Conrado Gavilán, asesino y héroe, una de las mentes criminales más importantes de nuestro Sistema. Descanse como vivió, sembrando el mal y llevando la angustia al Más Allá".

Eso era de locos. ¿Cómo se podía vivir en un mundo así?

Alcanzó el muro en un esfuerzo supremo, y se agazapó. Los primeros perseguidores ya recorrían el cementerio, desde tres puntos distintos. Intentaban cercarlo. El único lugar libre era donde se encontraba. Era su última oportunidad.

No la desaprovechó.

—¡Miren bien!

—¡Ha de estar por aquí!

—¡Ah, ya puedo sentir el crujir de sus huesos bajo mis manos!

Se encaramó al muro y, de un salto, llegó a la parte superior afianzando bien sus pies en los huecos de la piedra, y se dejó caer al otro lado.

Sin que nadie lo viera.

Al sentirse a salvo, tuvo deseos de gritar, pero no lo hizo. En parte, porque escuchó nuevas voces:

—¡No está!

—¡Maldición! ¿Dónde se ha metido?

—No puede estar muy lejos. ¡Es imposible!

Y en parte porque, en ese momento, volvió a oírse la voz de Elisa.

—¡No importa, da lo mismo! ¡Yo sé dónde vive! ¡Es mi maldito nuevo vecino! ¡Vamos a su casa!

Luis se incorporó y echó a correr de nuevo.

19

Él tenía que llegar primero que ellos a su casa.

Era necesario.

Por lo menos, aunque fueran otros papás, o mejor dicho, otra clase de papás, lo protegerían y no dejarían que le hicieran daño.

Era su hijo.

Los padres siempre querían a sus hijos, sin importar que fueran buenos o malos.

Entró en la casa en ruinas, salió por la puerta principal. Aunque no había ni un alma en la calle, no tomó la menor precaución. Desde allí dobló a la izquierda buscando la avenida principal.

Su ventaja era mínima, pero suficiente.

Ya nada le impediría llegar a su casa.

Luis corría alucinado, con el rostro lleno de espanto. Jamás hubiera podido imaginar que en el ser humano, en él mismo, pudiera haber tanta maldad. Los yos negativos de cada persona eran como bestias ocultas, encerradas por los yos positivos. En el mundo real todos los delincuentes, los asesinos, los que hacían daño a la gente, debían de ser personas con su lado malo dominando al bueno. El bien y el mal en constante lucha.

Espeluznante.

Casi estuvo a punto de gritar de alegría cuando se encontró en la avenida principal. De ahí a su casa debía haber… ¿cuánto había recorrido con Elisa? Imposible saberlo. Iban hablando. Tal vez un kilómetro, o dos. Redobló sus esfuerzos.

Golpeaba su trasero con los talones. Más que correr, volaba. Era como un loco poseído.

Se imaginó a su papá, escupiendo, bebiendo, recién levantado, haciéndoles frente a quienes querían atraparlo. Se imaginó a su mamá, sucia, fumando, molesta por la interrupción de su tercera película, atacando a quienes, ávidos de sangre, invadían su casa. Se imaginó a su hermana, enlutada, con varios muñecos descuartizados, defendiéndolo.

Casi se detuvo. ¿Y si no hacían NADA?

Su casa apareció a lo lejos. Aún no se oían los gritos, pero era evidente que no tardarían en llegar. No necesitaban correr tanto como él. Elisa los conduciría directo hasta allí.

Disponía de unos minutos, no muchos. Dos o tres, a lo sumo.

—¡Mamá! —gritó—. ¡Papá!

Era inútil, y además, alertaba a la gente de su presencia. Un par de hombres y mujeres se asomaron a las puertas de sus casas. Un coche intentó atropellarlo. Un niño lo siguió unos metros, empeñado en hacerle una zancadilla.

Todos estaban locos. Los odiaba.

Avanzó los últimos metros, solo y libre. Se le hicieron eternos. Era como si corriera en cámara lenta, muy despacio. O como si la calle se alargara. De seguro, ya estaba demente. No tendrían que hacerle nada porque iba a volverse loco.

Bueno, a lo mejor también se volvía malo, y se adaptaba.

Alcanzó el último tramo: su jardín.

—¡Papá! ¡Mamá!

No abrió la puerta: se abalanzó sobre ella. Como si la derribara. El estruendo puso la casa patas arriba. Pese a ello, no se detuvo hasta llegar a la sala.

Su papá estaba de pie, sujetando una lata de cerveza con la mano. Su mamá traía su eterna colilla en la boca. Su hermana sostenía una calavera en las manos.

Lo vieron como si se hubiera vuelto loco.

20

Él los miró.

Y ya no esperó más.

—¡Papá! ¡Mamá! —Luis gritó asustado—. ¡Me están persiguiendo!

La noticia no les causó mucho espanto.

—¿Quién te persigue, hijo? —le preguntó su mamá con el mismo tono que si le preguntara por el estado del tiempo.

—¡No lo sé, unos que quieren hacerme daño!

—¿Por qué quieren hacerte daño? —su papá formuló la pregunta tras un eructo sordo y gutural.

—¡No lo sé! —repitió él.

—De seguro tienen ganas de jugar —Norma se encogió de hombros.

—¿Jugar? ¡Quieren matarme!

—Bueno, pues dales tú primero a ellos —le aconsejó su papá.

—¡Son como 12!

El hombre y la mujer se miraron. Luego lo vieron a él. Su actitud no cambió demasiado.

—¿No será que te están dando la bienvenida a la colonia? —sugirió su hermana.

—¿Están sordos? ¡Les digo que quieren mi piel! ¡Tienen que ayudarme!

—¿Con el trabajo que tengo y el calor que hace? —se enfurruñó su papá.

—¿Desde cuándo no te bastas solito para resolver tus problemas! —se extrañó Norma.

—¡No me digas que acabas de llegar y ya te metiste en problemas! —suspiró su mamá—. ¿Acaso eres uno de esos niños blandengues que se pasan el día pegados a las faldas de mamá? ¡Ve ahí afuera y rómpeles la cara!

Los contempló.

No iban a hacer nada.

No en aquel mundo.

No en un lugar sin sentimientos, donde sólo el mal imperaba.

—Un par de golpes no matan a nadie —rezongó su papá volviendo a su butaca.

—Además, tú siempre has sido un demonio. Ya sabrás arreglártelas —sentenció su mamá, y regresó a donde estaba el televisor.

—A no ser que te consideren un antisocial, claro —su hermana puso el dedo en la llaga.

Su papá y su mamá se detuvieron.

Lo miraron. Luego sonrieron.

—No —dijo el hombre—. Qué tontería.

—¿Tu hermano? —masculló la mujer—. Si fuera un antisocial sería la primera en despellejarlo vivo. Yo no tuve un hijo para que salga idiota.

—Pues cualquiera diría que tiene miedo y está asustado —Norma acariciaba la calavera y enmarcaba las cejas sin dejar de observarlo.

Luis escuchó las primeras voces.

Cada vez más cercanas.

Se acercaban.

En unos minutos, todo habría acabado.

—Los quiero —musitó débilmente. Iba a agregar "a pesar de todo", pero ya no lo dijo.

Su papá, su mamá y su hermana parpadearon ante aquella insólita manifestación de afecto.

Luis suspiró. Luego salió de la sala y subió las escaleras, en busca del único lugar que se le ocurrió, el más cercano a su mundo.

El espejo.

21

Todo continuaba igual.

Absolutamente todo.

Llegó hasta el espejo por la parte de atrás y se aplastó contra él, envuelto en la oscuridad. Parecía mentira, pero sólo un centímetro de cristal, tal vez menos, lo separaba de su verdadera casa, de sus verdaderos padres, de su universo conocido.

Un centímetro.

Y era como la distancia que separaba a la Tierra de la Luna.

—Papá… Mamá… —susurró.

Tocó el marco, buscando un resorte, algo, una llave, un maleficio secreto, o lo que fuera. Sólo sintió las nucas de los rostros esculpidos en la madera.

Las mismas nucas que por delante lo miraban con sus ojos ciegos.

Nuevamente pensó en romper el cristal por la parte delantera.

Tal vez…

Puso sus manos en él. Se vio a sí mismo asustado, pálido, sucio y tembloroso. Pero no se atrevió.

Volvió a mirar la parte de atrás.

El otro ático.

Su casa.

La puerta que conducía a un mundo estable, amable, cálido y humano.

Un mundo donde el mal se castigaba.

Por la puerta percibió el primer tumulto de voces. Sus perseguidores habían llegado a la casa. Y la invadían.

Los oyó.

—¿Dónde está?

—¡Es un antisocial!

—¡Yo noté enseguida que era raro, nada más con verlo, incluso ayer me di cuenta!

—¿Qué clase de engendro tienen en casa?

—¡Vamos, vamos!

Y sus padres, hablando, preguntando, y luego, también gritando.

—¿Que ha hecho QUÉ?

—¿Nuestro Luis?

—¿Mi hermano? ¡Pero si Luis es el mayor rufián que existe sobre la Tierra!

—¡Lo mato! ¡Si es verdad lo que acaban de contarnos, lo mato!

—¡Luis!

—Ya verán cómo todo esto es un malentendido, ¡ya lo verán!

Todos se pusieron a gritar.

—¡Luis!

—¡Luis, ven aquí!

—¡Luis!

Se escuchó cómo los primeros empezaron a subir la escalera en tropel.

En unos segundos, caerían sobre él.

22

Ni siquiera tenía ganas de llorar.

Más bien sentía una rabia sorda, feroz, cargada de animadversión.

Lo que deseaba, de pronto, era luchar contra todo ese puñado de tarados. El miedo lo empujaba a la rebeldía final. Y la desesperación.

El miedo se ahuyentaba encarándolo.

Se puso frente a la puerta, con la espalda apoyada en el espejo.

Cerró los puños.

Dispuesto a todo.

—¡No está en su habitación! —oyó gritar a Norma.

—¡Luis!

—¡Tal vez huyó! —anunció Elisa frustrada.

—¡Luis!

—¡El ático! ¡Busquen en el ático!

La casa entera gemía bajo el peso de tantos cuerpos, de tantos pies pisando las viejas maderas.

Contuvo la respiración.

Frente a él, más allá de la misteriosa oscuridad que envolvía el espejo, estaba la puerta por la que iban a aparecer los seres de aquel mundo perverso. Desde la oscuridad no la veía, pero eso daba lo mismo. Estaba ahí. Fuera de las sombras frías no había nada, salvo un baúl o un armario para ocultarse. E igual lo encontrarían.

Intentó pensar. No pudo. Entendía su derrota.

—¡Por aquí!

—¡Luis!

—¡Ya lo tenemos!

Miró por última vez el cristal, para ver el otro ático: el de su casa.

Deseó que su mamá entrara en él, para despedirse, aunque no supiera que estaba ahí.

De pronto, su deseo pareció hacerse realidad.

Aunque no fue su mamá la que entró por la puerta del ático, sino alguien aún más conocido.

Su otro yo.

23

Era extraordinario, pero cierto.

Su otro yo, su lado perverso y negativo, acababa de entrar en el ático.

Y por la expresión de su cara, no parecía muy contento ni feliz. Todo lo contrario.

—¡Ey! —gritó desde la zona oscura, aun sabiendo que no podía oírlo porque estaba fuera de las inmediaciones del espejo.

Su otro yo vaciló. También miraba el espejo.

Luis pegó su cara al cristal.

Su otro yo se acercó finalmente, corriendo. Parecía huir de algo, escapar. Dos veces miró hacia atrás. Luis creyó percibir un rumor. Un rumor ahogado por el propio clamor que surgía tras él.

Sus perseguidores iban a entrar de un momento a otro en el ático.

Ya no habló.

Su otro yo malo quedó frente al espejo, casi pegado a él.

Volvió la cabeza.

Y entonces, de pronto, sin pensarlo dos veces, cruzó al otro lado.

¡Zap!

En cuanto lo hizo, Luis, que todavía contenía la respiración, sintió cómo una mano invisible lo atrapaba, impulsándolo, no hacia atrás, sino hacia delante.

A través del espejo.

De vuelta a casa.

24

Luis pasó del frío al calor, de la oscuridad a la luz, del miedo a la alegría, de la derrota a la sorpresa. Todo ello en una fracción de segundo. Lo que tardó en darse cuenta de lo sucedido.

Su otro yo había cruzado el espejo.

Y había vuelto a su mundo, y como él estaba allí, del otro lado, esperando, pegado al cristal, el intercambio se había producido automáticamente. Había sido succionado por el mismo hueco dejado por su lado perverso al cruzar.

Asombroso pero cierto.

Giró la cabeza y se vio a sí mismo reflejado en la plomiza y líquida superficie del espejo diabólico, con su aspecto sucio, irreconocible.

Pese a la confusión de sus ideas y a todo el caos mental, la alegría de haber vuelto y el desconcierto por todo lo que acababa de acontecer, se preguntó algo.

¿Por qué había regresado su otro yo?

¿Por qué…?

La respuesta llegó en un segundo, en forma de padres enfadados, nerviosos, visiblemente afectados y dispuestos a todo.

Entraron por la puerta, gritando. Ni siquiera pudo levantarse, feliz, alegre, para abrazarlos y darles un beso.

—¡Ven aquí, ven aquí! —su mamá, con la cara desencajada por la ira, extendía hacia él sus manos en forma de garras.

—¿Adónde pensabas ir? Intentabas ocultarte en este cuchitril para que no te encontráramos, ¿verdad? ¡Ya verás! —rugió su papá, sin el menor atisbo de piedad o amor en sus ojos.

—Yo…

Fue lo único que pudo decir antes de que le cayeran encima, lo zarandearan, lo levantaran y empezaran a gritarle al unísono, tirando de él cada uno por un lado.

Norma, su hermana, se sumó a la "fiesta". Lloraba de rabia y humillación.

—¡Nunca más podré salir a la calle! ¡Oooh… qué vergüenza! ¡Te odio! ¡Te odio, Luis! Nunca te lo perdonaré. ¡Denle fuerte!

Aún bajo los efectos del nuevo choque, pensó que no había vuelto a casa, que seguía en el mundo oculto al otro lado del espejo, que todo había sido una ilusión.

Sin embargo, no vio rastro de Elisa, ni tampoco de los demás perseguidores.

Y sus papás no tenían el aspecto de sus otros yos. Simplemente estaban enojados. Muy enojados.

Como nunca antes lo habían estado.

Y lo comprendió todo.

—¡No era yo! ¡No era yo! —se apresuró a decir—. ¡Puedo explicar todo, sea lo que sea! ¡Les juro que no era yo!

No le hicieron caso. Ni lo escucharon. Lo sacaron a rastras del ático, cerrando la puerta tras ellos, sin dejar de gritar, acusándolo de tropelías y atrocidades que...

Luis pensó en su única prueba: el espejo.

Desde luego, no iba a enviar a sus padres al otro lado para que averiguaran la verdad.

Así que se resignó.

Pese a todo, contento de haber vuelto a casa.

Era increíble.

Su otro yo casi había arrasado con todo.

Era una aplanadora.

Había llamado al jefe de su papá para decirle que era un zoquete y que su mujer era una foca, porque, según él, era lo que su papá repetía siempre en casa.

Aquella mañana había puesto la casa patas arriba en cinco minutos de ausencia de su mamá, ensuciándolo todo a conciencia. Limpiar todo eso le iba a llevar a ella, al menos, una semana, si quería dejar todo como estaba.

Había pintado con marcador negro toda la ropa de colores chillones de Norma, y luego mezclado todos sus perfumes y cremas. Y a ella le habían salido unos granos misteriosos tras aplicarse su crema favorita.

A la pobre Elisa le había cortado su preciosa cabellera rubia.

Al perro del vecino le había atado una cuerda con latas de refrescos, y aún lo estaban buscando.

Había cambiado las indicaciones de tránsito en su calle y los alrededores. Los conductores las habían seguido y enloquecieron al descubrir que sólo daban vueltas en círculos.

Demasiado hasta para su otro yo.

Y ahora todos creían que él era culpable; que a la colonia había llegado un loco, un enemigo público número uno, el peor de los rufianes.

¿Así era él por dentro? Vaya.

Sus avergonzados padres ya estaban hablando de volverse a mudar.

Porque ni en un siglo lograría restablecer la normalidad que su otro yo había alterado en forma tan salvaje.

—¡Ay! —suspiró.

Entendía muy bien que, después de haber hecho todo aquello, y al ver que sus padres iban como fieras tras él, su otro yo se hubiera regresado a su mundo.

Por lo menos, gracias a eso estaba de vuelta.

Y vivo.

Aunque no a salvo de…

Una piedrita se estrelló contra el cristal de su ventana. Se levantó con curiosidad, y al asomarse por ella, vio a Elisa abajo.

Llevaba el cabello corto, y no parecía enfadada. Su cara reflejaba picardía, además de dulzura. Sus ojos grises brillaban en la noche.

—¿Qué... quieres? —vaciló él.

—¿Estás bien? —se interesó ella.

—Sí, ¿por qué? Creía que estabas enojada.

—Ya no.

—Pero tu pelo...

—No importa —la niña se encogió de hombros—. De cualquier manera iba a cortármelo, en serio. Ya verás cómo todos lo olvidan.

—¿Tú crees?

—Ha sido bastante fuerte —Elisa le guiñó un ojo—. Seguramente podemos hacer muchas cosas juntos.

Además de bonita, tenía espíritu.

—Bueno, si algún día me dejan salir... —escuchó un ruido en la puerta de su habitación y se apresuró a despedirse—: ¡Debo irme!

—¡Mañana vendré a visitarte, Luis! —se despidió Elisa.

Cerró la ventana justo a tiempo.

Su papá y su mamá aparecieron en la puerta. Ya no se veían disgustados. Sus rostros mostraban cierta solemnidad.

—Luis... —comenzó a decir ella.

—Sabemos que este cambio ha sido duro para ti, hijo —continuó el papá—. Pero debes intentar adaptarte. Este lugar te va a gustar. Date un poco de tiempo.

—Sí, papá.

—Y si te preocupa algo, dinos.

—Sí, mamá.

—Todos olvidaremos este espantoso día, ya lo verás, hijo.

—Y Norma…

—También se le pasará el disgusto. Es tu hermana y te quiere.

Vaya, después de todo, era cierto. Unos padres siempre son unos padres.

—Gracias. Me portaré bien —aseguró—. No sé qué me pasó hoy, en serio. No era yo, ¿saben?

—Ya, ya —su mamá asintió con la cabeza.

—Que descanses, hijo —le deseó su papá.

Cerraron la puerta.

Y se quedó solo.

Más tranquilo aunque…

En ese momento, recordó el espejo.

26

Seguía allí, en el mismo sitio.

Como si nada.

Invitando a cualquiera a mirarse en él, a notar su extraña presencia, listo para capturar a quien se introdujera en él. Arrastrándolo al otro lado. Separándolo en dos: una mitad buena, positiva, y una mitad mala, negativa.

—No volverás a hacerlo —le dijo al espejo.

Llevaba el martillo en la mano. Lo levantó, dispuesto a descargarlo contra la superficie.

Entonces se dio cuenta de la inutilidad de su gesto, ya que nunca podría destruirlo. El martillo se hundiría y pasaría al otro lado.

Se detuvo. ¿Qué podía hacer?

Bajó el martillo, y acercó su mano libre a la superficie plomiza. Sus dedos rozaron aquella líquida extensión. Y sin darse cuenta, como hipnotizado por algo intangible que fluía de su propia imagen y de la esencia del espejo, los introdujo en ella.

Unos centímetros.

Hasta sentir el frío del otro lado.

Un segundo, no más.

Se dio cuenta de lo que estaba haciendo, y quiso retirar la mano.

Y entonces algo lo atrapó y tiró de él con todas sus fuerzas.

Para arrastrarlo de nuevo al otro lado.

—¡Noooo! —gritó Luis.

Todo ocurrió muy rápido.

Su brazo, su cabeza y parte del tronco ya estaban dentro, en la oscuridad, otra vez.

Casi medio cuerpo. Casi.

Fue un reflejo. Dejó caer el martillo y con esa mano se sujetó a la parte superior del marco. Eso impidió que, quien fuera, aunque en el fondo sabía que sólo podía ser su otro yo, lograra su objetivo. Atoró un pie en la base del propio marco, y sacó el otro de adentro.

—¡No! —volvió a gritar.

Entonces escuchó una voz lejana, pero no del exterior, sino interior, como si surgiera de un lugar remoto de sí mismo.

—Vamos, Luis, ¡vamos! ¡Déjate llevar! ¡Ven!

Nunca había luchado tanto. Tiró con todas sus fuerzas, con los dos pies firmemente asentados en el suelo. Y con su mano sujetada a la parte superior del espejo. Tiró y tiró hasta que, muy despacio, fue saliendo de la oscuridad y el frío.

Su cabeza volvió al mundo real, tras hacer un esfuerzo supremo.

Centímetro a centímetro, sacó su brazo del espejo. Las dos manos que aprisionaban la suya por el otro lado, no pudieron hacer nada frente a su determinación.

—¡Ahora! —gritó.

Lo soltaron. Y cayó hacia atrás.

Libre.

Ya no esperó más. Ni un segundo. Se puso de pie y tomó el martillo del suelo. No podía romper un espejo que no era de cristal, pero sí destruirlo.

Sabía cómo.

Descargó el martillo en el marco, justo en el ángulo superior derecho. Un golpe. Otro golpe. Otro más. Aflojó una esquina. Fue al otro lado y repitió la acción. Tres golpes más. Abajo, a la derecha, a la izquierda. Las cuatro uniones se abrieron lentamente. Y su reflejo líquido empezó a desvanecerse.

Los rostros de madera ya no tenían los ojos abiertos, sino cerrados.

El espejo se nubló, dejó de reflejar su imagen, y comenzó a evaporarse.

Por un momento, Luis temió que la puerta del otro lado quedara abierta, comunicando ambos mundos libremente. Pero no fue así.

Lo único que vio al otro lado fue el mismo ático en el que estaba.

Metió la mano por el hueco.

Nada.

Dio un golpe final y las cuatro maderas del espejo cayeron al suelo, como simples restos de cualquier objeto olvidado y perdido.

Luis suspiró.

Lo había logrado.

Al día siguiente quemaría aquellas maderas, por si acaso. Eso acabaría con todo.

Y él volvería a empezar. Tenía mucho que hacer para limpiar su mala imagen. Todo lo que su otro yo había hecho en su nombre.

Esperaba que nunca más volviera a salir de su interior y, por si acaso, estaba dispuesto a no tener pensamientos negativos, ni pérfidos.

Cuando salió del ático, pensaba en Elisa.

Después de todo, la vida allí valía la pena.

Impreso en los talleres de
Grupo Gráfico Editorial,
Calle B No. 8, Parque Industrial Puebla 2000,
C.P. 72220, Puebla, Pue.
Junio de 2011.